Para: _____

_____

De: _____

_____

MIEL

Winnie the Pooh

Cuentos para dormir

publications international, ltd.

Publicado por Louis Weber, C.E.O.
Publications International, Ltd.
7373 North Cicero Avenue
Lincolnwood, Illinois 60712

Ground Floor, 59 Gloucester Place
London W1U 8JJ

Servicio a clientes: customer_service@pilbooks.com

www.pilbooks.com

Nunca se otorga autorización para propósitos comerciales.

p i kids es una marca registrada de Publications International, Ltd.

Fabricado en China

8 7 6 5 4 3 2 1

ISBN-13: 978-1-4127-9549-4
ISBN-10: 1-4127-9549-4

Contenido

Un dulce riesgo	5
Hogar, dulce hogar	19
La grandísima, rojísima y rebotadorísima pelota nueva	31
Piglet el Magnífico	41
La pesadilla de Rito	55
El día no tan especial, muy especial	67
La verdadera familia de Tigger	75
El pajarillo azul	89
El Asombroso Winnie Pooh	101
Una aventura oscura	109
Un día feliz	123
Conejo y Winnie Pooh en una aventura campestre	137
El visitante nocturno	147

Feliz lectura

Un dulce riesgo

Ilustrado por los Artistas de Libros de Cuentos de Disney
Escrito por Lynne Roberts

Una mañana, mientras Winnie Pooh hacía sus ejercicios de robustecimiento, sintió retumbar su barriguita.

"Oh, vaya", dijo Winnie. "Mi barriguita me está diciendo algo."

Después de pensar, pensar y pensar, Winnie se dio cuenta de que su barriguita le decía que quería comer algo. "Lo mejor que le puedo dar a mi barriguita retumbona es miel, por supuesto", pensó el Osito.

Winnie Pooh fue a su alacena, pero sus ollas de miel estaban vacías. "Debo encontrar un poco de miel para apaciguar a mi pobre barriguita", dijo.

Winnie Pooh se internó por el Bosque de los Cien Acres en busca de miel. "¿Dónde puedo encontrar miel?", se preguntaba. Y en ese momento, una abeja pasó volando justo frente a su nariz. "Esa abeja me guiará hasta la miel", pensó.

Winnie Pooh siguió a la abeja hasta un árbol muy alto, y vio que la abeja entraba volando por un agujero. La barriguita de Winnie dio un pequeño vuelco, porque sabía que había miel cerca.

"La miel debe estar en ese agujero", le dijo Winnie a su barriguita, y luego empezó a trepar por el árbol. Subió y subió, pero era algo robusto para esa ramita del árbol.

Winnie escuchó un *criic*. Después, escuchó un *craac*. Y luego empezó a caer. El pobre Winnie se cayó de ese árbol tan alto.

"Oh, cielos", exclamó Winnie, quitando el polvo de su peluche. Y después, tuvo una sensación familiar: su barriguita dio un pequeño vuelco de hambre. "Tú, otra vez", dijo Winnie. "Debo pensar en otra manera de llegar a la miel de ese árbol."

Winnie Pooh sabía que la mejor manera de pensar era estando de pie, así es que empezó a caminar... y a pensar. Y mientras caminaba y pensaba, comenzó a tararear una cancioncilla sobre la miel.

Winnie Pooh caminó y tarareó hasta que se encontró en un lugar muy amistoso. "¡Hola!", dijo al toparse con Christopher Robin, Cangu, Rito, Igor y Búho.

"¡Hola, Winnie!", dijeron sus amigos. "¿Saliste a caminar? ¿A dónde vas?"

Winnie Pooh lo pensó por un instante. No podía recordar por qué estaba caminando. Y entonces sintió su barriguita de nuevo: *poc, poc, poc.* "Mi barriguita y yo estamos buscando un poco de miel", dijo Winnie.

Winnie Pooh les contó a sus amigos acerca del árbol altísimo, de la miel y de la rama rota.

"¡Podemos ayudarte!", dijo Cangu.

"La ramita del árbol era demasiado pequeña para un oso tan robusto", dijo Búho. "Pero tal vez puedas volar hasta la miel."

A Winnie le gustó esa idea. Estiró sus brazos para volar... y cayó en un charco de lodo.

"Los osos no pueden volar, Winnie", dijo Christopher Robin, "pero los globos sí". Y le dio a Winnie Pooh un globo azul.

Winnie y sus amigos caminaron hasta el árbol de miel. Con el globo, Winnie flotó hasta el agujero del árbol y sacó un puñado de dorada y pegajosa miel.

"¡Hurra!", gritó Winnie Pooh, lamiendo la deliciosa miel de su pata. "Mi barriguita está muy agradecida."

Mientras Winnie alimentaba su barriguita, escuchó un ruido muy curioso. Era un sonido nuevo, no un ruido de su barriguita. Comenzó como un murmullo bajo, y pronto se convirtió en un fuerte zumbido. Winnie pensó en la abeja que lo guió hasta el árbol.

Del árbol salieron muchas abejas zumbadoras, y sus zumbidos no sonaban muy contentos.

Eran tantas abejas, que empujaron a Winnie y a su globo azul cada vez más arriba.

Las abejas furiosas y zumbadoras empujaron a Winnie y a su globo azul por el aire. Por allá volaron las abejas, y por allá voló Winnie sobre su globo azul.

"¡Sujétate bien, Winnie!", le gritó Christopher Robin a su amigo robusto y volador.

"Espero que las abejas sepan el camino a mi casa", dijo Winnie, mientras navegaba con su barriguita —que ya no hacía tanto ruido— por el Bosque de los Cien Acres, en el globo azul.

Hogar, dulce hogar

Ilustrado por John Kurtz

Escrito por Guy Davis

Una mañana, Igor despertó con la sensación de que algo no estaba bien. Casi todas las mañanas pensaba eso, pero ahora sentía que algo faltaba, así que miró a su alrededor.

"Oh, cielos", dijo Igor. "*Sí* falta algo... falta parte de mi casa. Ahora tengo algo más de qué preocuparme."

Igor se preocupó todo el día, hasta que por fin llegó la hora de ir a dormir esa noche. Y a medianoche, ¡Igor se despertó y se dio cuenta de que algo *más* de su casa faltaba!

"Esto es terrible", pensó Igor.

Cuando por fin llegó la mañana, Igor se sentía extremadamente melancólico.

Winnie Pooh y Piglet pasaron por ahí, e Igor les explicó lo que sucedía.

Winnie y Piglet echaron un vistazo a la casa de Igor. "Oh, cielos", dijo el Oso. "Creo que necesitamos la ayuda de Búho."

Los tres amigos fueron a la casa de Búho y le explicaron todo.

Búho dijo: "Supongo, queridos amigos, que la única manera de resolver este misterio es permanecer despiertos toda la noche. ¡Así vamos a descubrir quién está robando la casa de Igor!"

Esa noche, mientras el cielo se oscurecía, los amigos se pusieron a vigilar junto con Igor. Pero al poco rato, empezaron a sentir mucho sueño.

Igor estaba cansado porque no había dormido la noche anterior. Piglet se adormeció mientras contaba las estrellas. La barriguita de Winnie estaba llena de miel. Búho se aburrió con una historia tediosa. Muy pronto, todos estaban dormidos.

Cuando se levantó el sol, todos dormitaban, así que no vieron a unos castores que se acercaron a hurtadillas, ni vieron que se llevaban más ramas de la casa de Igor.

Pero cuando la familia de castores tiró de una rama muy importante... *¡CATAPLÚN!*, ¡todos despertaron!

Los castores se fueron corriendo, pero Igor y sus amigos los siguieron y descubrieron que estaban construyendo algo.

"¡Ajá!", exclamó Búho. "¡Esos pilluelos están construyendo su casa en el arroyo!"

"Pero para construir *su* casa están usando partes de *mi* casa", dijo Igor con tristeza.

Winnie Pooh pensó por un instante y dijo: "¡Tal vez, si trabajamos juntos, podremos construir *las dos* casas!" Y eso fue precisamente lo que hicieron.

Los castores recolectaron ramas mientras Igor y sus amigos construían la casa del arroyo.

Cuando terminaron ese trabajo, todos fueron a la casa de Igor. Él y sus amigos recolectaron ramas y los laboriosos castorcitos levantaron la casa.

En poco tiempo, ¡la casa de Igor estuvo lista y lucía mejor que nunca!

"¡Vaya, la casa de Igor está como nueva!", declaró Piglet.

"Gracias, Piglet", dijo Igor con una tímida sonrisa. "Y gracias a todos... hasta a esa familia de peludos castorcitos."

"¡Disfruta tu hogar, dulce hogar, Igor!", exclamó Winnie Pooh.

El sol se puso y salieron las estrellas. Igor bostezó: ya era hora de dormir.

Esa noche, por primera vez en varias noches, Igor durmió profundamente... en su casa nueva.

La grandísima, rojísima y rebotadorísima pelota nueva

Ilustrado por DiCicco Studios
Escrito por Catherine McCafferty

Winnie Pooh quería compartir una sorpresa redonda y rojiza con su buen amigo Piglet. Era una pelota muy rebotadora. Apenas ayer, Christopher Robin le había dado a Winnie la pelota. Jugaron a *Arrojar y atrapar*, a *Tigger en el centro* y a *Quién la lanza más alto*. Winnie quería jugar también con Piglet.

"Como hoy voy a jugar, creo que puedo saltarme mis ejercicios de robustecimiento", dijo Winnie, y comió un poco más de miel para tener un poco más de energía.

Winnie se limpió las patas y luego corrió a casa de Piglet. Estaba ansioso por jugar.

La grandísima, rojísima y rebotadorísima pelota nueva

"¡Hola, Winnie! ¡Oh, cielos!, ¿qué es eso?", le preguntó Piglet

"¡Es una pelota muy divertida!", contestó Winnie. "Podemos jugar a *Arrojar y atrapar* con ella." Winnie arrojó la pelota hacia Piglet, pero Piglet no pudo atraparla... y fue él quien rebotó.

"Oh, ci-ci-cielos", dijo Piglet.

"Lo siento", dijo Winnie. "¿Por qué no jugamos a *Quién la lanza más alto*?"

Winnie lanzó la pelota muy arriba y luego la atrapó cuando caía. "Es tu turno."

Piglet se esforzó mucho, pero era demasiado pequeño y sólo podía hacer rodar la pelota.

La grandísima, rojísima y rebotadorísima pelota nueva

Winnie Pooh se rascó la cabeza. No podían jugar *Tigger en el centro* sin Tigger. El único juego que les quedaba era... "Disculpa, Piglet", dijo Winnie, "¿tienes miel?"

Winnie Pooh se divirtió mucho jugando el juego de *Pelota pegada a la pata de Winnie*, pero el pobre Piglet no se divirtió tanto.

En poco tiempo llegó la hora de que Winnie volviera a casa. "¡Regresaré a jugar mañana!", le dijo a Piglet, pero a Piglet no le agradó la idea.

A la mañana siguiente, Winnie encontró una nota en su puerta.

Querido Winnie:

Gracias por tratar de jugar a tus juegos de rebotes conmigo. Pero este animalito que es muy pequeño (yo) le teme a tu enorme pelota rebotadora. Me hace rebotar, pero yo no puedo hacerla rebotar. Lamento estropear tu diversión. Si no quieres jugar a nada más, lo entendería.

(Snif),
Piglet

"Tal vez pueda hacer más pequeña la pelota."
Winnie Pooh oprimió con fuerza la pelota roja,
pero no se hizo más pequeña.

Entonces, Winnie buscó entre los otros
juguetes que Christopher Robin le había dado.

"¡Este es perfecto para Piglet!", exclamó.

Al día siguiente, Winnie fue a la casa de su
amigo y le dijo: "Lo siento, Piglet. No me fijé
cuánto rebotaste ayer. Traje algo diferente para
que juguemos."

Piglet parecía asustado, pero Winnie le dijo:
"¡No te preocupes, Piglet! Este algo es redondo
pero no tan rebotador."

La grandísima, rojísima y rebotadorísima pelota nueva

Winnie agitó una varita de burbujas, y las burbujas flotaron suavemente hasta la cabeza de Piglet. "¡Oh, qué divertido!", exclamó Piglet y luego agitó la varita frente a Winnie. Muy pronto, el aire se llenó de burbujas y risas, porque la diversión —como la amistad— viene en muchos tamaños.

Piglet el Magnífico

Ilustrado por los Artistas de Cuentos de Disney

Escrito por G.F. Bratz

Piglet miraba con orgullo su creación de nieve. "¡Ta-rán! ¡Ya lo terminé!", exclamó. "Es un perfecto Winnie de Nieve. ¡Será una gran sorpresa para Winnie!" Piglet sonrió de oreja a oreja.

Después se paró en unos zancos para alcanzar la cara de su Winnie de Nieve y con una de las zanahorias de Conejo, hizo la nariz. Piglet pensó que se veía estupendo, sobre todo porque lo había hecho un animalito tan pequeño.

"Ummm... me pregunto dónde están todos", dijo Piglet mirando a su alrededor. Pero no se veía ni a Winnie ni a nadie en el Bosque de los Cien Acres.

Mientras tanto, los amigos de Piglet se mantenían bien calentitos dentro de la casa de Winnie, haciendo dibujos y contando cuentos.

"¿Dónde está Piglet?", se preguntó Conejo.

"No lo sé, ¡pero tengo una idea!", dijo Winnie.

"¡Puaj! No me gusta la miel", dijo Tigger, seguro de que la idea de Winnie Pooh tenía algo que ver con la miel.

"La miel es magnífica", replicó Winnie. "¡Pero también Piglet! Hay que sorprenderlo con un libro de recuerdos. Podemos titularlo *Piglet el Magnífico.*"

"¿Y qué pondremos en el libro de recuerdos de Piglet?", preguntó Cangu.

"Mamá, ¿recuerdas cuando Piglet me salvó?", preguntó Rito.

"Apuesto a que nadie recuerda que yo también lo ayudé", refunfuñó Igor.

"¡Ahh, sí!", le dijo Tigger a Rito. "Estábamos rebotando cerca del río, y le querías demostrar a Cangu que podías rebotar igual que yo."

"Yo *puedo* rebotar igual que tú", replicó Rito, "pero no siempre aterrizo en el lugar correcto".

Cangu dijo: "Yo le advertí a Rito que no rebotara cerca del río, pero estaba tan emocionado que rebotó cada vez más cerca, hasta que... ¡*plas!* ¡Rebotó y cayó *en* el río!"

"Entonces, el valiente Piglet tomó una rama larga, la sostuvo para que Rito la agarrara, y tiró con todas sus fuerzas hasta salvarlo", agregó Winnie. "Fue un acto muy heroico."

"Ummm", dijo Conejo. "No es muy buena idea rebotar cerca de un río... o de un huerto."

"¡Yo también recuerdo cuando Piglet me salvó!", dijo Winnie. Hasta un oso con muy poco cerebro recuerda cuando alguien lo salva.

"Pensé que debía haber abejas de miel en un tronco viejo y me arrastré sobre él justo arriba de la cascada", recordó Winnie. "Supongo que todo se debe a que la miel me gusta mucho."

A Winnie le dio gusto que Piglet estuviera cerca en ese momento. "Fue un acto muy valeroso que un animalito tan pequeño me sujetara hasta que el resto de ustedes llegó", dijo Winnie, y sus amigos estuvieron de acuerdo en que Piglet era valiente.

Mientras el invierno se convertía en primavera, Winnie y sus amigos trabajaron con ahínco en su libro de recuerdos de *Piglet el Magnífico*.

Hicieron dibujos y escribieron historias. Igor escribió un poema titulado "Piglet, nuestro héroe". Christopher Robin escribió una canción especial para Piglet.

Y Winnie Pooh planeó en secreto otra sorpresa.

Los amigos casi no podían ocultar su emoción. Una vez, Piglet les preguntó qué era tan emocionante, y Tigger empezó a contarle acerca del libro. Pero Conejo lo interrumpió y dijo: "Tigger está rebotando mucho hoy."

No era fácil ocultarle su secreto a su amiguito.

¡Por fin terminaron *Piglet el Magnífico!*

Ese día, cuando Piglet llegó a la casa de Winnie Pooh a almorzar, vio una sorpresa especial.

Winnie destapó un letrero recién pintado. Le había dado un nuevo nombre al Rincón de Winnie. ¡Lo que antes era el Rincón de Winnie ahora se llamaría Rincón de Winnie y Piglet!

"¡Sorpresa!", gritaron los amigos de Piglet, mostrándole el regalo en el que habían trabajado: su propio ejemplar de *Piglet el Magnífico*.

"Oh, vaya", dijo Piglet. "Creo que hoy no es mi cumpleaños. Me pregunto para qué serán esas sorpresas tan grandes."

Pooh soltó una risita y dijo: "No, no es tu cumpleaños, ¡es sólo el día perfecto para celebrar que eres un gran amigo!"

Después de que los amigos le dieron a Piglet su nuevo libro de recuerdos, miró las páginas y realmente se sintió muy especial. Nada podría haber hecho ese día mejor.

La pesadilla de Rito

Ilustrado por Keith Batcheller

Escrito por Guy Davis

Winnie Pooh y sus amigos estaban sentados alrededor de una fogata y todos disfrutaban de una hermosa velada, asando malvaviscos y contando historias.

De pronto, se escuchó un fuerte crujido en el bosque... ¡y se estaba acercando!

"¡Oh, cielos!", susurró Piglet. "¡Eso suena como un efelante!"

Y entonces se escuchó un fuerte *¡CRASH!* Todos saltaron y se abrazaron unos a otros.

"¡Un efelante!", chilló Winnie.

Después se escuchó un gemido largo y bajo. ¡Rito nunca se había sentido tan asustado!

El gemido se volvía cada vez más fuerte. Los arbustos se abrieron y salió tropezando...

"¡¿Conejo?!", gritaron todos al mismo tiempo.

"¡Pensamos que eras un efelante!", dijo Winnie.

"Claro que no", respondió Conejo. "Vi la fogata y quise saber qué pasaba. Pero tropecé con un árbol en la oscuridad."

En ese momento, apareció Cangu. "Se está haciendo tarde, Rito querido", dijo. "Es hora de ir a dormir."

"Sí, mamá", contestó Rito, que estaba muy contento de regresar a casa. "Buenas noches a todos. Hasta mañana."

Todos le desearon buenas noches.

Rito le dijo a su madre lo que había sucedido en el bosque. "¡Pensamos que Conejo era un efelante, mamá!", le dijo emocionado. "¡Me asusté mucho!"

Cangu le sonreía a Rito mientras lo arropaba en la cama. "Ya, ya, querido", le dijo. "No hay nada que temer. Que tengas dulces sueños, Rito."

Rápidamente, Rito se quedó dormido, pero toda la noche se retorció y dio vueltas en la cama. En lugar de tener dulces sueños, ¡comenzó a soñar con efelantes!

Soñaba con efelantes grandes, y soñaba con efelantes pequeños.

Esa noche, ¡hasta soñó que los efelantes lo perseguían!

¡Rito se despertó de un salto! Mientras estaba acostado en la oscuridad, escuchó un *criiiich*, *craaach* en la ventana. Y luego se fijó en una sombra aterradora en su pared.

"¡Efelantes!", pensó Rito. Estaba muy asustado, y gritó para que viniera su mamá.

Cangu llegó de inmediato a la habitación de Rito para ver qué andaba mal.

"¡Mamá!", exclamó Rito casi sin aliento. "¡Hay un efelante fuera de mi ventana! ¡Y creo que hay otro en mi cuarto!"

"Ya, ya, querido", dijo Cangu dulcemente. "Acabas de tener una pesadilla. No existen los efelantes, sólo son imaginarios."

"Pero parecía muy real", dijo Rito.

"El ruido que oíste era la rama de un árbol que rozaba la ventana", agregó Cangu. "Y la sombra era sólo la luna brillando entre los árboles."

"Lo siento, mamá", dijo el pequeño Rito. "Yo estaba asustado por los efelantes."

"Ahora estás a salvo, pequeño", dijo Cangu, mientras volvía a arropar a Rito bajo las mantas. Después, empezó a arrullarlo con una suave canción de cuna.

Rito sabía que su mamá tenía razón y que los efelantes no eran reales. Se acurrucó bajo sus mantas y alegremente se fue durmiendo.

"Buenas noches, pequeño Rito", susurró Cangu. "Te amo."

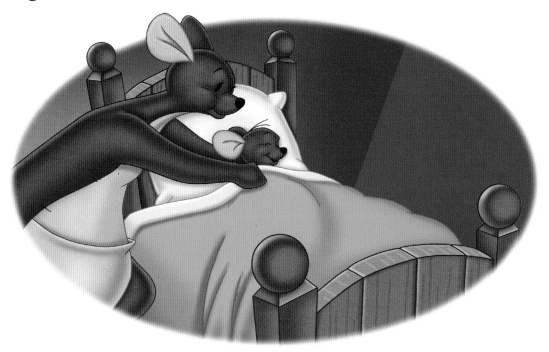

El día
no tan especial,
muy especial

Ilustrado por DiCicco Studios
Escrito por Catherine McCafferty

Winnie Pooh lamió de sus patas las últimas gotas de miel del desayuno.

"Estoy listo, Christopher Robin", exclamó. "Pasemos un día especial."

"Necesitamos una idea muy especial para un día tan especial", dijo Christopher Robin.

Mientras los dos amigos pasaban por la casa de Búho, le pidieron una idea especial.

"Que sea un día de reflexión", dijo Búho.

Eso sonaba especial, así que los dos amigos fueron al arroyo e hicieron gestos frente al agua. Sus reflejos eran graciosos, pero no parecían hacer un día muy especial.

"Tal vez lo podríamos convertir en un día marinero muy especial", dijo Christopher Robin.

"¿Y dónde está nuestro barco?", preguntó Winnie.

"¡Justo aquí, Capitán Pooh!" Christopher Robin ayudó a Winnie Pooh a trepar a lo alto de un árbol. "¡Ahoy!", gritó Christopher Robin.

"¡Holaaa!", contestó Tigger en la lejanía.

Navegar por el mar era divertido, pero tampoco parecía hacer al día muy especial.

La barriguita de Winnie comenzaba a retumbar. "Un día de bocadillos sería agradable", dijo.

"¡Qué gran idea!", exclamó Christopher Robin. "¡Tendremos un día especial de repostería!"

El día no tan especial, muy especial

En lo más profundo del Bosque de los Cien Acres, los dos amigos hicieron panes de lodo. Los bocadillos de mentirillas eran sabrosos de mentirillas, pero no hicieron del día algo muy especial.

El sol se fue ocultando para dar paso a las sombras. Christopher Robin y Winnie volvieron a caminar cerca del arroyo.

Christopher Robin se detuvo a la orilla del agua, con la cara triste. "Lamento no haber hecho de éste un día muy especial después de todo", dijo.

Winnie se sentó al lado de su amigo y comenzó a pensar, pensar y pensar.

"Nuestras caras graciosas fueron especiales", dijo Winnie. "Y navegamos en un barco especial e hicimos panes especiales. Pienso que todas esas cosas especiales juntas hacen algo muy especial."

"Creo que tienes razón", dijo Christopher Robin, sonriéndole a su amigo más especial.

"Entonces", dijo Winnie, "¿crees que podríamos comer un poquirritín especial de miel ahora?"

"Sí, Winnie", contestó Christopher Robin. "Claro que sí."

Y así, los dos amigos tan especiales regresaron juntos a casa y terminaron ese día tan especial con un bocadillo muy especial.

La verdadera familia de Tigger

Ilustrado por DiCicco Studios

Escrito por G.F. Bratz

Búho contaba los mejores cuentos, y como tenía una familia muy importante, podía compartir muchas aventuras. Tigger y Rito escuchaban fascinados mientras Búho terminaba otra historia.

"Y así, amigos míos", declaró Búho con aires de gran importancia, "fue como heredé este majestuoso reloj de mis ancestros cuando descendieron sobre el Bosque de los Cien Acres".

Tigger pensó por un instante y luego exclamó: "¡Yo tengo una herencia! ¡Quizá los tiggers también tienen familias!"

Tigger rebotó a casa y Rito lo siguió de cerca. Al llegar, Tigger subió a toda prisa al ático.

"¡Ahí está!", exclamó Tigger, sosteniendo un brillante relicario de oro. "¡Es mi comolollamaré!"

"¿Qué es un comolollamaré?", le preguntó Rito.

Tigger abrió el relicario. "Es una herencia, Rito, muchacho, con lugar para un retrato de familia. Bueno, si tan sólo tuviera un retrato de mi familia..."

Tigger estaba muy emocionado, ansiaba conseguir una foto para su relicario. Pero primero tendría que escribirle una carta a su familia.

"Los invitaré a una fiesta, y nos haremos un retrato para mi comolollamaré", dijo lleno de emoción, y comenzó a escribir.

Cuando Rito les contó a sus amigos acerca de la búsqueda de Tigger, decidieron ayudarle. Buscaron a su familia por todas partes y les preguntaron a todos en el Bosque de los Cien Acres. Pero no encontraron ningún otro tigger.

Tigger esperaba una carta, pero ninguna llegó.

Y un día, Rito le preguntó a Cangu con tristeza: "Mamá, ¿dónde está la familia de Tigger?"

"Oh, cariño", suspiró Cangu. "Me temo que Tigger no tiene familia, pero nosotros lo queremos, así que es como un miembro de nuestra familia."

De pronto, ¡Rito tuvo una idea! ¡Fingirían ser la familia de Tigger!

Búho le envió una carta a Tigger de parte de su familia.

"Ahora Tigger tendrá una familia", dijo Rito, y todos sus amigos estuvieron de acuerdo.

¡Era un día afortunado para Tigger! Cuando abrió la carta, casi no podía dejar de rebotar lo suficiente como para leerla.

"¿Qué dice?", preguntó Rito, mientras le guiñaba un ojo a Winnie Pooh.

"¡Uuu-juu!", gritó Tigger. "¡Dice que mi familia es exactamente como yo! Lo que mejor hacen es rebotar, y no les gusta la miel ni trepar a los árboles. Nunca se pierden, ¡y vendrán a mi fiesta familiar!"

Cangu y Winnie Pooh parecían confundidos.

¡Ups! Búho había escrito que la familia de Tigger vendría a la fiesta.

¿Y ahora qué iban a hacer?

Todos pensaron y pensaron, y a Winnie se le ocurrió una idea. "Podemos disfrazarnos de tiggers", les sugirió.

Todos estuvieron de acuerdo en que era una excelente idea para un oso con muy poco cerebro. Cangu les ayudó a hacer disfraces y máscaras de tiggers. Cuando llegó el día de la fiesta, Tigger se sintió triste porque sus amigos no podrían venir. ¡Pero abrió la puerta y vio tiggers!

La tristeza de Tigger desapareció.

"Oh, vaya", dijo. El cuarto estaba lleno de globos y serpentinas, y lo más importante era que todos los demás tiggers estaban muy sonrientes y trataban de rebotar.

"No rebotan muy bien", dijo Tigger, "excepto el más pequeño. Ése rebota como mi amigo Rito".

Rito estaba tan contento que rebotó y rebotó... hasta que la máscara de tigger salió rebotando de su cara.

"No eres un tigger", dijo Tigger, muy sorprendido. "¡Eres un Rito!"

La verdadera familia
de Tigger

Winnie Pooh y los demás se quitaron las máscaras y confesaron lo que habían hecho. Tigger dejó de rebotar y miró al suelo.

"Vamos, vamos, Tigger", dijo Búho. "Levanta esa cara." No quería que su rebotador amigo se sintiera mal por no tener familia.

Pero Tigger no estaba triste: ¡estaba muy contento!

"¡Oh, vaya!", exclamó. "¡Soy el único tigger con una familia tan especial! Ahora todo lo que necesito es un retrato para mi comolollamaré."

Más tarde, cuando Tigger colocó el retrato en el relicario, reconoció que tenía la mejor familia que un tigger pudiera desear: ¡sus amigos!

El pajarillo azul

Ilustrado por Art Mawhinney
Escrito por Guy Davis

Winnie Pooh estaba disfrutando un paseo por el Bosque de los Cien Acres cuando descubrió algo que nunca antes había visto.

"Mmm, ¿pero qué será esto?", se preguntó el Osito.

Winnie había encontrado un nido en el suelo con *algo* redondo y liso adentro.

El Osito necesitaba que alguien sabio le ayudara a resolver ese misterio.

Así que fue una suerte que Búho, que era muy sabio, estuviera también caminando por ahí. Búho se detuvo a saludar.

Búho se sintió muy feliz de poder ayudar. ¡Le encantaba resolver misterios!

"En mi opinión, querido muchacho, lo que tienes aquí es un extraño espécimen de queseso", declaró Búho, observando el huevo con interés. "Debes tener mucho cuidado con un queseso porque..."

Antes de que Búho pudiera terminar de hablar, un fuerte *c-c-c-r-r-r-aac* salió del huevo.

El huevo se rompió, ¡y de él salió un bebé queseso pequeño y azul!

Antes de que Búho pudiera decir algo, ¡el pequeño queseso lanzó un sonoro *pip!* De hecho, el queseso hizo tanto ruido, que pronto se les unió Conejo para investigar qué estaba pasando.

"Creo que este queseso nos está tratando de decir algo", dijo Búho.

"Quizá yo sea un oso con muy poco cerebro", dijo Winnie, "pero creo que lo que nos está tratando de decir este pequeño es que tiene hambre".

"¿Qué creen que les guste comer a los quesesos?", preguntó Conejo.

"Pues por supuesto que miel", contestó Winnie. "¿Qué más?"

Extrañamente, el pequeño no quería miel. En vez de comer, el queseso pió mucho más fuerte. "No, no, no", dijo Conejo. "La miel es demasiado dulce para un bebé queseso. Todos saben que lo que más les gusta comer a los quesesos son los vegetales."

Conejo corrió a su huerto y regresó con una cesta llena de zanahorias.

"Aquí tienes, pequeño", dijo Conejo. "¡Una deliciosa zanahoria!"

El bebé queseso volteó la cabeza y pió todavía más fuerte.

"Mis queridos amigos, los dos están en un error", dijo Búho. "Este es un queseso *bebé*. Todos saben que a los bebés les gusta la leche." Búho se fue volando y regresó con un buen vaso de leche fresca.

El bebé queseso no quiso ni verlo. Comenzó a mover sus alas y pió todavía más fuerte.

A Winnie, Conejo y Búho se les habían acabado las ideas. Estaban muy confundidos.

De pronto, escucharon un dulce *pip*, *pip*, *pip* que venía de arriba.

¡El dulce y suave *pip*, *pip*, *pip* provenía de la mamá del bebé, que estaba posada en una rama del árbol!

"Parece que la mamá del bebé tiene algo en su pico", dijo Conejo.

La mamá bajó volando y aterrizó suavemente junto a su hijo. El bebé se emocionó mucho al verla, especialmente cuando ella le dio el gusano que tenía en su pico.

Y todos los amigos gritaron de gusto cuando el bebé queseso dejó de piar y se acurrucó cerca de su mamá.

"¡Parece que el nido se cayó del árbol!", dijo Búho. "Debemos ayudarlos y ponerlo de nuevo en su lugar." Y eso fue justo lo que hicieron.

"Es curioso", dijo Winnie. "¡Esos quesesos se parecían mucho a unos pájaros azules!"

El Asombroso Winnie Pooh

Ilustrado por DiCicco Studios

Escrito por Catherine McCafferty

Tigger levantó su brazo y anunció: "¡Es un honor presentarles al Asombroso Winnie!"

"Como primer acto", dijo Winnie, "¡haré desaparecer esta miel!" Winnie levantó una olla llena de miel, luego se fue detrás de la cortina y se la comió toda. Cuando terminó de comer, Tigger ya estaba casi dormido.

"Ey, Winnie, muchacho", dijo Tigger, "¿por qué no haces desaparecer al viejo Tigger?"

El Asombroso Winnie levantó su varita. "Y como mi siguiente acto, haré desaparecer a este maravilloso tigger", dijo Winnie mientras Tigger saltaba detrás de la cortina. "¡Esfúmate, Tigger!"

Cuando Winnie Pooh retiró la cortina, Tigger ya no estaba ahí. No había ni un rebote en la casa. ¡Tigger realmente había desaparecido!

Winnie no había esperado que su magia funcionara tan bien... de hecho, ni siquiera esperaba que funcionara. Sabía adónde había ido la miel, pero, ¿a dónde había ido Tigger?

Winnie cerró la cortina. "¡Tigger, regresa!", dijo, agitando su varita mágica.

Winnie esperó y esperó, y luego esperó un poco más. Finalmete, abrió la cortina. ¡Tigger aún no había aparecido!

"Piensa, piensa, piensa", pensó Winnie Pooh.

"Tigger debe estar en algún lado, y yo debo encontrarlo. Y como algún lado es un lugar muy grande, probablemente necesite un poco de ayuda", se dijo Winnie Pooh. Después miró afuera y llamó a sus amigos: "¡Ayúdenme!"

"¿Qué sucede?", le preguntó Christopher Robin.

"El Asombroso Winnie hizo desaparecer a Tigger", dijo Winnie tristemente, "y no sé como traerlo de regreso".

Justo entonces, una ráfaga de rayas rebotó encima de Winnie y lo hizo caer. "Presente para ayudar, amigo Winnie." Tigger se sentó en la barriguita llena de miel de Winnie.

"Pero Tigger", dijo Winnie, "dije las palabras mágicas, ¡y desapareciste!"

"¡Ju-ju-ju-juu!", dijo Tigger. "¡Es que vi a mi saltarín amigo Rito por la ventana y reboté para saludarlo!"

"Bueno, Winnie Pooh, ¡ahora ya sabes las palabras mágicas para hacer aparecer a tus amigos!", se rió Christopher Robin.

"¿Las sé?", preguntó Winnie, confundido.

"Sí, Osito bobito", dijo Christopher Robin. "Si quieres que aparezcan tus amigos, simplemente pide *ayuda*."

Una aventura oscura

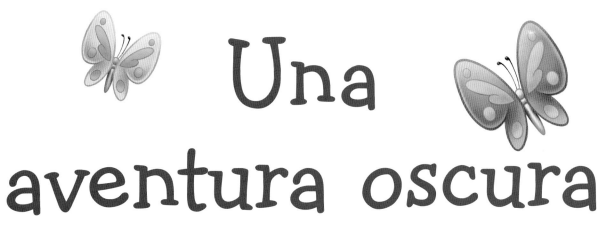

Ilustrado por DiCicco Studios

Escrito por G.F. Bratz

Algo le hizo cosquillas en la nariz a Winnie. "¿Qué es eso?", preguntó. Piglet iba corriendo hacia él, parecía que estaba persiguiendo algo.

"¡Oh! Es una mariposa", dijo Winnie, arrugando la nariz cuando el hermoso insecto aterrizaba. "Bueno, es un maravilloso día para revolotear por aquí, ¿verdad?"

"¿A dónde revoloteará luego?", preguntó Piglet.

"¿Por qué no lo averiguamos?", sugirió Winnie.

"¡Hurra! ¡Vamos a explorar!", chilló Piglet.

Y los dos amigos emprendieron muy contentos el camino para seguir a la mariposa por el Bosque de los Cien Acres.

La mariposa voló entre los árboles y sobre los arroyos. Winnie y Piglet estaban tan ocupados mirando a la mariposa que no se fijaron por dónde iban. Cuando comenzó a oscurecer, ni Piglet ni Winnie pudieron ver a la mariposa. Su amiga voladora se había ido.

"¿A dónde se fue la mariposa?", preguntó Piglet nerviosamente. "¿Y dónde estamos *nosotros*?"

"Tal vez voló a casa con su familia", contestó Winnie, tratando de sonar despreocupado. "Supongo que nosotros debemos regresar también. No podemos estar muy lejos de casa, ¡o de la miel!"

Había pasado mucho tiempo desde que Winnie comió, y su barriguita retumbaba.

Piglet se sujetaba con fuerza a la mano de Winnie. Ya era de noche, y los dos tenían miedo de lo que pudiera ocultarse en el Bosque.

De pronto, ¡escucharon un ruido!

"¡Oh!", gritó Piglet. "¿Qué fue ese ruido?"

"Quizá sea un efelante", susurró Winnie. "No hay que hacer ruido para que no nos oiga."

"No quiero quejarme", dijo Piglet, "pero estoy un poquito asustado".

Winnie sostuvo la mano de Piglet con fuerza, deseando que Christopher Robin estuviera ahí.

"¡Oh, cielos!" pensó Winnie. "¿Por qué no nos fijamos por dónde íbamos?"

Ya había pasado la hora de la cena, y su barriguita estaba *muy* inquieta.

Winnie Pooh miró a su alrededor y vio una luz a lo lejos. "Mira, Piglet", dijo el Osito, caminando a toda prisa hacia la luz. "¡Tal vez sea Christopher Robin!"

"Espero que sea una luz amistosa", dijo Piglet.

Cuando los amigos corrieron hacia la luz, no vieron una, sino *dos* caras amistosas. Las caras amistosas eran de Conejo y Búho. ¡Piglet y Winnie estaban muy contentos de verlos!

Después de escuchar su aventura, Conejo les dijo: "Usen mi linterna para encontrar el camino a casa."

"Yo los acompañaré volando", agregó Búho, "para asegurarme de que lleguen sanos y salvos".

Winnie y Piglet ansiaban llegar a casa, y con la linterna que alumbraba su camino y Búho volando junto a ellos, ¡ningún efelante los molestaría!

Cuando llegaron a la casa de Winnie, los dos amigos encontraron a Christopher Robin esperándolos. Al verlo, Winnie corrió tan rápido como sus pequeñas piernas se lo permitieron, y Piglet correteó a toda prisa detrás de él.

"¿Dónde han estado?", les preguntó Christopher Robin. "Estaba preocupado."

"Yo también estaba preocupado", dijo Winnie.

"Osito bobito", dijo Christopher Robin, dándole un gran abrazo de oso.

Después de una deliciosa cena de miel y chocolate caliente, Winnie Pooh y Piglet salieron de nuevo, pero esta vez no se alejaron mucho de la casa.

Winnie y Piglet llegaron a un tronco y se sentaron. Los dos amigos miraron las estrellas. La noche era oscura, pero las luces en el cielo los hacían sentirse seguros.

"Creo que hicimos una exploración muy emocionante, ¿verdad?", preguntó Piglet.

"Supongo que sí", dijo Winnie. "Pero la próxima vez que salgamos a explorar, nos fijaremos por dónde vamos, y recordaremos llevar un poco de miel con nosotros."

"¿Crees que nuestra amiga la mariposa se haya perdido también?", preguntó Piglet, acurrucándose bajo el brazo de Winnie.

"No lo sé", le contestó Winnie. "Pero estoy seguro de que tiene buenos amigos como los nuestros, que le ayudarán a encontrar el camino a casa."

Un día feliz

Ilustrado por Dean Kleven

Escrito por Guy Davis

Winnie Pooh tarareó alegremente. "¡Qué día tan alegre!", dijo. Pero pronto descubrió que no todos se sentían tan felices. Igor no se sentía nada feliz. De hecho, ¡ni siquiera quiso salir de su casa cuando lo llamó Winnie!

Winnie estaba preocupado. Igor siempre se sentía melancólico, ¡pero Winnie nunca lo había visto *tan* triste!

Winnie fue deprisa a la casa de Christopher Robin y le explicó el problema.

"¿Sabes lo que debemos hacer?", le dijo Christopher Robin. "Hay que hacerle una gran fiesta a Igor, ¡una Fiesta de Aprecio!"

Christopher Robin rápidamente buscó a Piglet y a Tigger y les explicó el plan. "Cada uno de nosotros le hará un regalo a Igor", dijo.

"Y luego todos nos veremos en casa de Igor", agregó Winnie.

"¡Las fiestas sorpresa son lo que más les gusta a los tiggers!", exclamó Tigger.

Cuando Piglet y Tigger se fueron a hacer sus regalos, Christopher Robin le hizo un nuevo moño a la cola de Igor con un listón.

"El moño de Igor se ve un poco desgastado", dijo Christopher Robin. "¡Estoy seguro de que le gustará tener uno nuevo!"

Winnie Pooh miraba mientras Christopher Robin envolvía el regalo de Igor.

"Piensa, piensa, piensa", dijo Winnie. "¿Qué será el mejor regalo para alegrar a Igor? ¡Pues claro, miel!" Así que Winnie fue a su casa para traer su última olla de miel.

"Tal vez deba probar un poco, sólo para asegurarme de que está fresca y sabrosa", dijo Winnie. "¡Mmm, esta probadita estuvo deliciosa!", agregó, lamiendo su pata llena de miel. "Tal vez debería probar un poco más, para estar seguro."

Al poco rato, ¡Winnie se había comido todo el delicioso regalo de Igor!

"Creo que mi última olla de miel no es el mejor regalo después de todo", dijo Winnie.

La idea de Piglet era hacerle una cometa divertida y voladora a Igor. ¡Eso de seguro lo alegraría!

Así que Piglet hizo la cometa con unas varitas que encontró. Pero después de que la armó completa, resultó demasiado pesada.

Piglet tiraba y tiraba, ¡pero la cometa nunca se elevó!

El regalo de Tigger para Igor tampoco estaba resultando muy bien.

Un día feliz

Tigger quería darle a Igor un poco de rebotes para cuando caminara, ¡porque sin duda rebotar le levantaría el ánimo!

Y mientras buscaba un resorte que había visto, comenzó a llover. Cuando Tigger encontró el oxidado resorte, ya no le quedaba nada de rebote.

Todos los amigos se reunieron en la casa de Igor y le explicaron que le iban a hacer una Fiesta de Aprecio.

"Yo te iba a dar miel", dijo Winnie, "pero me la comí toda".

"La cometa que hice pesa demasiado como para volar", dijo Piglet.

Un día feliz

"Y mi resorte", dijo Tigger con un suspiro, "ya no rebota nada".

Igor abrió el regalo de Christopher Robin y sacó su moño nuevo. Después miró a sus amigos y comenzó a sonreír.

"Gracias por pensar en mí, amigos", dijo, probándose con orgullo su nuevo moño. "Me gustó mucho la fiesta, *y* el regalo también."

¡Todos los amigos aplaudieron!

A Igor no le importó que estuviera vacía la olla de miel, ni que el resorte estuviera oxidado, ni que la cometa no pudiera volar. Estaba feliz simplemente de estar con sus amigos.

Un día feliz

Los amigos de Igor también estaban felices de estar con él. Y mientras el sol salía de entre las nubes, Igor pensó: "*Sí* es un día muy feliz."

Conejo y Winnie Pooh en una aventura campestre

Ilustrado por DiCicco Studios
Escrito por Guy Davis

Conejo se detuvo y le dijo a Winnie: "¡Hay que encontrar un lugar para nuestro picnic!" Justo entonces, Cangu y Rito llegaron saltando.

"¿Picnic?", exclamó Rito. "¿Podemos ir?"

"¡Oh no, no!", contestó Conejo. "¡Se suponía que iba a ser un picnic tranquilo! Además, Rito es muy joven como para ir a un picnic como éste."

"¿Podemos ir? ¿Por favor?", preguntó Rito, saltando emocionado.

"Me encantaría compartir la tarta de mermelada que acabo de hornear", agregó Cangu.

"Tarta de mermelada con miel", dijo Winnie. "Para un picnic, ¡mientras más, mejor!"

En ese momento, vieron a Igor sentado bajo un árbol. "¿Cómo estás, Igor?", preguntó Winnie.

"Estoy bien", dijo Igor. "Gracias por preguntar."

"Ven a nuestro picnic, Igor", dijo Rito.

"¡Ju-ju-juu! ¿Picnic?", dijo Tigger, rebotando atrás de un árbol.

"¡Oh, no!", exclamó Conejo. "¡Iba a ser un picnic tranquilo! Tigger rebota demasiado, e Igor es muy lento."

"Probablemente no les guste, pero me encantaría compartir mi limonada con ustedes", dijo Igor.

"Y yo compartiré mis juguetes", dijo Tigger, lanzando su pelota al aire.

"Sí, ¡vengan!", dijo Winnie. "Para un picnic, ¡mientras más, mejor!"

Cantando, los seis amigos siguieron su camino.

"¿Quién anda ahí?", dijo una vocecilla.

"¡Hola, Piglet!", contestó Winnie. "Somos nosotros. ¿Te gustaría venir a un picnic?"

"Me encantaría", dijo Piglet, "si no creen que les vaya a estorbar".

Justo entonces, Búho llegó volando desde un árbol cercano. "¿Dijeron picnic? ¡Siempre me gusta asistir a un buen picnic! Recuerdo una vez..."

"¡Oh, no!", dijo Conejo. "¡Piglet es muy tímido como para ir a un picnic, y Búho es muy serio!"

Conejo y Winnie Pooh en una aventura campestre

"Tonterías", dijo Búho. "Tengo mantas de picnic para compartir."

"Y yo tengo dos globos", añadió Piglet.

"Para un picnic...", dijo Winnie.

"Ya sé", suspiró Conejo. "Mientras más, mejor."

Finalmente, los ocho amigos encontraron el lugar perfecto para hacer su picnic. Cangu y Búho tendieron las mantas, mientras Tigger y Rito jugaban con la pelota.

"Mmmm", dijo Conejo, "parece que alguien falta en este picnic".

En ese momento, Christopher Robin bajó de una casa del árbol que estaba cerca.

Conejo y Winnie Pooh en una aventura campestre

"¡Christopher Robin!", gritó Winnie Pooh. "¡Nos preguntábamos dónde estabas!"

"Tiene razón", dijo Conejo. "No habría sido lo mismo sin ti."

"¡Gracias, Conejo!", dijo Christopher Robin. "Y con todos estos amigos, ¡esto parece más una fiesta que un picnic!"

Conejo se rió cuando sus amigos lo hicieron rebotar en una manta. "¡Mientras más, mejor, como dice siempre mi amigo Winnie Pooh!"

El visitante nocturno

Ilustrado por los Artistas de Libros de Cuentos de Disney

Escrito por Kate Hannigan

Era una fría noche en el Bosque de los Cien Acres, y Winnie Pooh estaba acurrucado cómodamente bajo las mantas de su cama. Estaba profundamente dormido y roncando, y su nariz se movía mientras soñaba.

Winnie tenía dulces sueños de miel cuando, repentinamente, se escuchó un fuerte *¡bomp!*

"¿Qué-qué fue eso?", dijo Winnie al despertarse sobresaltado de su sueño.

Winnie temblaba mientras escudriñaba todo su cuarto. Vio sus ollas de miel y su escopeta de juguete justo donde las había dejado.

Winnie escuchó otro *¡bomp!*

Entonces oyó un *¡boing!*

"Debe ser un efelante", se dijo Winnie mientras se dirigía lentamente hacia la puerta. "A los efelantes les encanta la miel, y yo tengo mucha miel."

Sujetando valientemente su escopeta de juguete, Winnie los llamó en medio de la noche, pero los efelantes no contestaron.

"Quizá están demasiado hambrientos como para contestarme", pensó el Osito Winnie. "O tal vez son demasiado tímidos."

Winnie volvió a gritar. "Perdón", dijo. "Disculpen, efelantes."

Winnie les preguntó a los efelantes si les gustaría un bocadillo nocturno. "Un poco de miel por la noche siempre me da dulces sueños", dijo.

Todos esos pensamientos de sabrosos dulces hicieron que la barriguita de Winnie Pooh retumbara un poco.

De pronto, la barriguita del Oso Winnie comenzó a retumbar mucho más. Pero antes de que pudiera decir nada, ¡Winnie cayó al suelo!

"Ju, ju, ju, juu, Winnie, muchacho", dijo Tigger, rebotando por la puerta justo encima de Winnie Pooh.

Winnie le preguntó qué estaba haciendo.

"Salí a dar unos rebotes nocturnos", dijo Tigger. "A los tiggers les encanta rebotar de noche."

Winnie suspiró y le dijo: "No, quiero que me digas qué estás haciendo aquí en mi barriguita."

Tigger ayudó a Winnie a levantarse. Y cuando Winnie estuvo de pie, le contó a Tigger de sus sueños de miel.

Winnie estaba preocupado por los efelantes, pero su barriguita seguía pidiéndole algo dulce.

Mientras Winnie buscaba en la alacena la olla de miel perfecta para la ocasión, Tigger rebotaba detrás de él y le contaba que no había visto ningún efelante en el Bosque.

"Eso es lo maravilloso de los tiggers", dijo. "¡Tienen excelente olfato y pueden oler a un efelante a kilómetros de distancia!"

Tigger enroscó su cola como resorte y salió por la puerta con un *¡bomp!* y un *¡boing!*

Winnie Pooh miró a su amigo rebotar bajo la luz de la luna. Esperaba que Tigger hubiera asustado a cualquier efelante.

"¿Y qué hago si los efelantes se llevan mi miel?", se preguntó Winnie. "Estaría muy triste y hambriento."

Winnie decidió montar guardia... una casa sin miel sería algo terrible.

Comenzó a marchar de un lado a otro con su escopeta, y pasó justo frente a su espejo. Había un oso vigilando que no viniera ningún efelante.

Como era un oso de muy poco cerebro, Winnie pensó que alguien lo acompañaba.

"Los osos debemos permanecer juntos", dijo Winnie Pooh.

Winnie se quedó vigilando toda la noche, protegiendo sus ollas de miel. De vez en cuando miraba a través de la ventana.

No vio ningún efelante, pero tampoco vio a su buen amigo, Tigger, que rebotaba a lo lejos, cerca de la casa de Piglet.

Winnie nunca escuchó otro *¡bomp!* Tampoco escuchó otro *¡boing!*

En algún momento se oyó un ligero *tap, tap, tap* cuando la lluvia cayó en el techo y las ventanas. Pero el Osito ni siquiera la escuchó.

Winnie se había tomado un pequeño descanso de la vigilancia de sus ollas... y cayó profundamente dormido.

La nariz de Winnie comenzó a moverse y una ligera sonrisa apareció en su boca. Su barriguita ya no retumbaba, sino que estaba bastante llena de deliciosa miel. Winnie Pooh seguramente tenía dulces sueños.